Texte : Lucie Papineau
Illustrations : Dominique J

Bambou au pays des Bambous

À PAS DE LOUP

niveau **1**

J'apprends à lire

Dominique et compagnie

Données de catalogage avant publication (Canada)

Papineau, Lucie
Bambou au pays des Bambous
(À pas de loup. Niveau 1, J'apprends à lire)
Pour enfants.

ISBN 2-89512-181-8

I. Jolin, Dominique, 1964- . II. Titre. III. Collection.

PS8581.A665B36 2001 jC843'.54 C00-941582-3
PS9581.A665B36 2001
PZ23.P36Ba 2001

Éditrice : Dominique Payette
Directrice de collection :
Lucie Papineau
Direction artistique et graphisme :
Primeau & Barey
Dépôt légal : 1er trimestre 2001
Bibliothèque nationale du Québec
Bibliothèque nationale du Canada

Dominique et compagnie
300, rue Arran, Saint-Lambert
(Québec) Canada J4R 1K5
Téléphone : (514) 875-0327
Télécopieur : (450) 672-5448
Courriel : info@editionsheritage.com

Imprimé au Canada

10 9 8 7 6 5 4 3

Nous remercions le Conseil des Arts du Canada de l'aide accordée à notre programme de publication, ainsi que la SODEC et le ministère du Patrimoine canadien.

Gouvernement du Québec
– Programme de crédit d'impôt pour l'édition de livres – Gestion SODEC

À Marlène,
Danielle, Gilles...
et à la bamboula !

Lucie Papineau
X

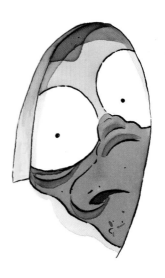

Jeanne et Bambou s'amusent comme des fous.

« Oh non ! crie Jeanne,
mon Bambou est cassé ! »

Papa console Jeanne...
et Bambou aussi !

Maman dit : « Allons, debout !
En route pour le pays des Bambous ! »

Au pays des Bambous on trouve de tout…

… des chapeaux de toutes les couleurs aux cravates de toutes les grandeurs !

Mais Bambou ne pense qu'à une chose.

Il veut savoir d'où il vient.

Madame Carlotta, la vendeuse,
hésite un peu.

Puis elle ouvre la porte secrète.

Bambou aperçoit un arbre immense.

C'est un arbre à Bambous !

« Tu ne t'en souviens pas, explique papa,
mais tous les Bambous poussent comme ça. »

« Quand ils sont mûrs,
ils tombent dans leur chapeau. »

Oh ! En voilà un qui tooooombe !

Le petit être se redresse, culbute sur les fesses et sourit à Bambou.

Bambou rougit, des orteils aux oreilles.

« Bof, dit Jeanne, ce n'est
qu'une Bambounette !

Jeanne tire Bambou par le bras.

« Viens ! dit-elle, il faut choisir ton
nouveau chapeau ! »

Bambou essaie tous les chapeaux
de toutes les couleurs.

Mais aucun ne semble lui plaire.

« Tant pis, décide Jeanne,
c'est moi qui choisis. »

De retour à la maison,
Bambou pleure et pleure encore.

« Mais qu'est-ce qu'il a ? demande Jeanne.
Il est encore brisé ? »

Maman fait un clin d'œil à papa. Elle dit :
« Je pense qu'on a oublié quelque chose... »

Voilà papa de retour,
avec un cadeau pour Bambou.

Bambou rougit, des orteils au chapeau.
Il est heureux, tellement heureux !

Et Jeanne est heureuse
quand Bambou est heureux…

FIN !